눈물이 당신의 볼을 타고

남킹

https://brunch.co.kr/@wonmar

소설가. 남킹 컬렉션 #001 - #444 출간을 목표로 합니다.

스페인 알리칸테 거주.

발 행 | 2024-01-22

저 자 | 남킹

펴낸이 | 한건희

펴낸곳 | 주식회사 부크크

출판사등록 | 2014.07.15(제2014-16호)

주 소 | 서울 금천구 가산디지털1로 119, A동 305호

전 화 | 1670 - 8316

이메일 | info@bookk.co.kr

ISBN | 979-11-410-6802-8

본 책은 브런치 POD 출판물입니다.

https://brunch.co.kr

www.bookk.co.kr

눈물이 당신의 볼을 타고
브런치 스토리

남킹

목차

Camel - Stationary Traveller

Going To California

Kwoon - Life

Haley Reinhart - Lovesick

Small Change Girl

Hania Rani - Eden

눈물이 당신의 볼을 타고

When You're Not Here

Kwoon - Bird

Ghostly Kisses

On The Nature Of Daylight

Aim To Head - Create

Kwoon - Schizophrenic

Kwoon - Ayron Norya

Pachanga Boys - Time

In the Mood for Love

Across the Universe

I Lived on the Moon

Last Paradise

Cold Green Waltz

Luz Del Monte

마르 데페스에게 이 책을 바칩니다.

남킹 컬렉션

#001 그레고리 홀라디의 묘한 죽음

#002 거짓과 상상 혹은 죄와 벌

#003 신의 땅 물의 꽃

#004 심해

#005 당신을 만나러 갑니다.

#006 블루드래곤 744

#007 꿈은 이루어진다.

#008 파벨 예언서

#009 떠날 결심

#010 리셋

#011 1월의 비

#012 남킹의 문장 1

#013 남킹의 문장 2

#014 남킹의 문장 3

#015 하니은 매화

#016 남킹의 문장 4

#017 스네이크 아일랜드

#018 천일의 여황제

#019 이방인

#020 거리를 비워두세요

#021 사랑 그 쓸쓸함에 대하여

#022 남킹의 문장 1 브런치 스토리

#023 알리칸테는 언제나 맑음

#024 길에 내리는 빗물

#025 서글픈 나의 사랑

#026 남킹 SF 소설집

#027 버스 민폐녀

#028 남킹 사랑 소설집

#029 남킹 스토리

#030 남킹 스토리 2

#031 남킹의 음악과 글

#032 남킹 이야기

Camel - Stationary Traveller

제임스는 기분이 좋았다.

나이 서른아홉에 비로소 여자친구를 만들었다. 비록 로봇이지만 그가 늘 꿈꾸던 이상형이다. 3차 세계대전 이전, 1968년 영화 <로미오와 줄리엣>에 출연한, 당시의 올리비아 핫세를 쏙 빼닮았다. 그는 요즈음 젊은이들이 선호하는 금발의 섹시 글래머 스타일을 좋아하지 않는다. 오히려 남자의 보호 본능을 자극하는 청순가련형 스타일에

푹 빠져있다. 긴 생머리와 우수에 찬 짙은 황갈색 눈을 사랑했다. 그는 그녀를 얻기 위해 10년 동안 돈을 모았다.

그는 가난했다.

그의 집안은 대대로 선생을 하였다. 그래서 늘 적은 급여를 받았다. 그는 싱글 침대와 화장실이 한 공간에 있는 13층 원룸 아파트에 살았다. 그는 돈을 아끼기 위해, 하루에 한 번, 샌드위치로 끼니를 때웠다. 그의 휴대폰은, 50년 전에 단종이 된, 낡은 애플 아이폰 34 프로였다. 이미 모든 모서리는 깨지고 액정화면은 금이 갔으며 6개의 부착 카메라는 제 기능을 상실한 지 오래였다. 그의 할아버지가 남긴 유일한 유산이었다.

그는 집에 오면 늘 휴대전화기를 켜고, 지금은 역사 속으로 사라진, 유튜브의 2D 영상을 메타데이터에서 가져와 시청하곤 하였다. 그는 2,000년대 초반 음악을 즐겨 들었다. 지금은 아무도 관심을 가지지 않는, 팝과 하드락에 그는 묘한 매력을 느꼈다. 그는, 이제 전설이 된, <BTS> 노래 대부분을 따라 불렀고 <린킨 파크> 음악을 흥얼거렸다. 한마디로 그는 메타 시대를 살아가는 아날로그형 디지털 인간이었다.

그는 늘 외로웠다.

마지막 대 전쟁 발발 시기에 태어난 그는, 어린 시절 대부분을 외딴 곳에 숨어 지냈다. 전쟁은 참혹했다. 도시 대부분은 파괴되었고 방사능에 오염되었다. 게다가 변종 바이러스 전염병이 창궐하여, 사람들은 모두 뿔뿔이 흩어져 고립 생활을 하였다. 그는 성인이 될 때까지 가족 외에 다른 사람을 구경할 수 없었다.

그가 다시 도시로 돌아왔을 때, 세상은 가진 자의 것이 되었다. 그리고 빈부의 격차는 나날이 커졌다. 소수의 부자는 대부분의 첨단 기술을 장악했다. 그들은 그것을 이용하여 막강한 부를 쌓았다. 그리고 곧 권력과 결탁하였다. 권력은 바로 욕망이었다.

그들은, 영장류의 진화에서 1,600만 년 동안 이어져 온 사회적 일부일처제를 법적으로 없애버렸다. 저명한 인류학자인 레반도프스키 박사의 저서 <영장류의 자유연애론>이 빌미가 되었다. 그는 책에서 이렇게 주장하였다. '인간을 비롯한 모든 동물의 수컷에게 가장 좋은 전략은 많은 암컷을 상대하는 것'이라고. 정치인과 통제된 언론은 자유연애의 당위성을 대중에게 설파했다.

결국, 일부다처 혹은 일처다부가 행정적으로 보호받는 시대가 열렸다. 그러자 결혼 쏠림 현상이 극단적으로 나타나기 시작했다. 돈 많고 잘 생기고 사회적 지위가 높은 남자들이 여자 대부분을 차지해버린 것이다. 당시 도시의 남녀 성 비율은 여성이 남성보다 약간 더 많은 수준이었으나, 결혼 적령기 미혼율은 남성이 압도적으로 많았다. 즉, 대부분의 가난한 남자들은 짝을 구할 수 없게 된 것이다. 그리고 그들은 사회 인력 구성원의 대다수를 차지했다.

한마디로, 성적 불만이 팽배한 사회로 변모한 것이다. 그러자 다양한 방법으로 부작용이 나타나기 시작했다. 매춘과 유사 성행위 업소가 폭발적으로 늘었다. 폭력도 늘고 마약, 알코올 소비도 증가했다. 동성애도 늘고 여자를 납치하는 사례도 번번이 일어났다. 자살률도 끝없이 올라갔다.

제임스가 사는 도시 외곽의 아파트 촌은, 주민 대부분이, 홀로 사는 남자였다. 그야말로 남자 마을이 된 것이다. 그리고 나날이 황폐해졌다.

그레고리 흘라디의 묘한 죽음

남킹 장편소설

남킹 컬렉션 #001

거짓과 상상 혹은 죄와 별

남킹 장편소설

남킹 컬렉션 #002

Going To California

Led Zeppelin - Going To California

https://www.youtube.com/embed/nhVfuacsLDw

하지만 인간은 늘 그렇듯이 방법을 찾아내곤 하였다. 필요는 발명의 어머니라고 하지 않았던가! 가난하고 외로운 늑대들을 위한 구원자가 나타난 것이다.

그의 이름은 일론 멜론.

그는 화성 테라포밍 프로젝트에서 AI 로봇 제작 기술자였다. 하지만 지나치게 외골수인데다 음주 문제로 동료들에게 따돌림당하다 결국 회사에서 쫓겨나고 말았다. 그러던 어느 날, 그는 변함없이 그날도 집에서 반주 삼아 위스키 석 잔을 비우고 3D 포르노 사이트를 기웃거리던 중, 광고 배너에 이끌려 자위기구 판매 사이트를 방문하였다. 그것이 그의 인생을 완전히 바꾸게 만든 순간이었다. 그는 그곳에서 남성 자위를 도와주는 인형을 본 것이다. 순간, 번뜩이는 아이디어가 그의 정수리를 때렸다.

그해, 인간과 거의 비슷한 인형을 제작하는 일본의 <다나카 돌스>(Danaka Dolls) 함께 공동으로 <에로돌스>(EroDolls)>를 창업한 그는, 이듬해 첫 AI 섹스 로봇 <마라린 먼로 버전 1>을 출시하였다. 하지만 시장의 반응은 그다지 좋지 않았다. 피부 조직과 미모, 동작은 무척 자연스러웠으나, 여전히 인간보다는 인형에 가까웠으며 지나치게 높은 가격이 문제였다.

하지만 사회적 불안에 대한 해결책을 찾던 소수의 권력자에게는 충분한 매력으로 다가왔다. 그들은 섹스 로봇을 국책산업으로 지정하고, <에로돌스>를 우선지원 업체로 선정하였다. 정부는 무엇보다 가장 먼저, 높은 가격을 대폭 낮추기 위하여 공장을 개발도상국으로 이전하는, 양국 간 경제 협력 컨소시엄 양해각서를 발 빠르게 추진

하였다. 그리고 거의 완벽에 가까운 표정과 몸매를 만들기 위하여, 당시 최고의 기술을 자랑하던 대한민국 강남 일대 성형외과 의사들을 대거 스카우트하였다.

그렇게 하여 탄생한 <마라린 먼로 프리미엄 프로 버전 7.3>은 섹스로봇의 전설이 되었다. 한 언론의 기사 제목이 모든 것을 설명했다.

<먼로의 재림>

https://www.youtube.com/embed/PDIz4talyQk

블루 드래곤
744
남킹 시나리오
남킹 컬렉션 #006

리셋
Reset
남킹 SF 소설집
남킹 컬렉션 #010

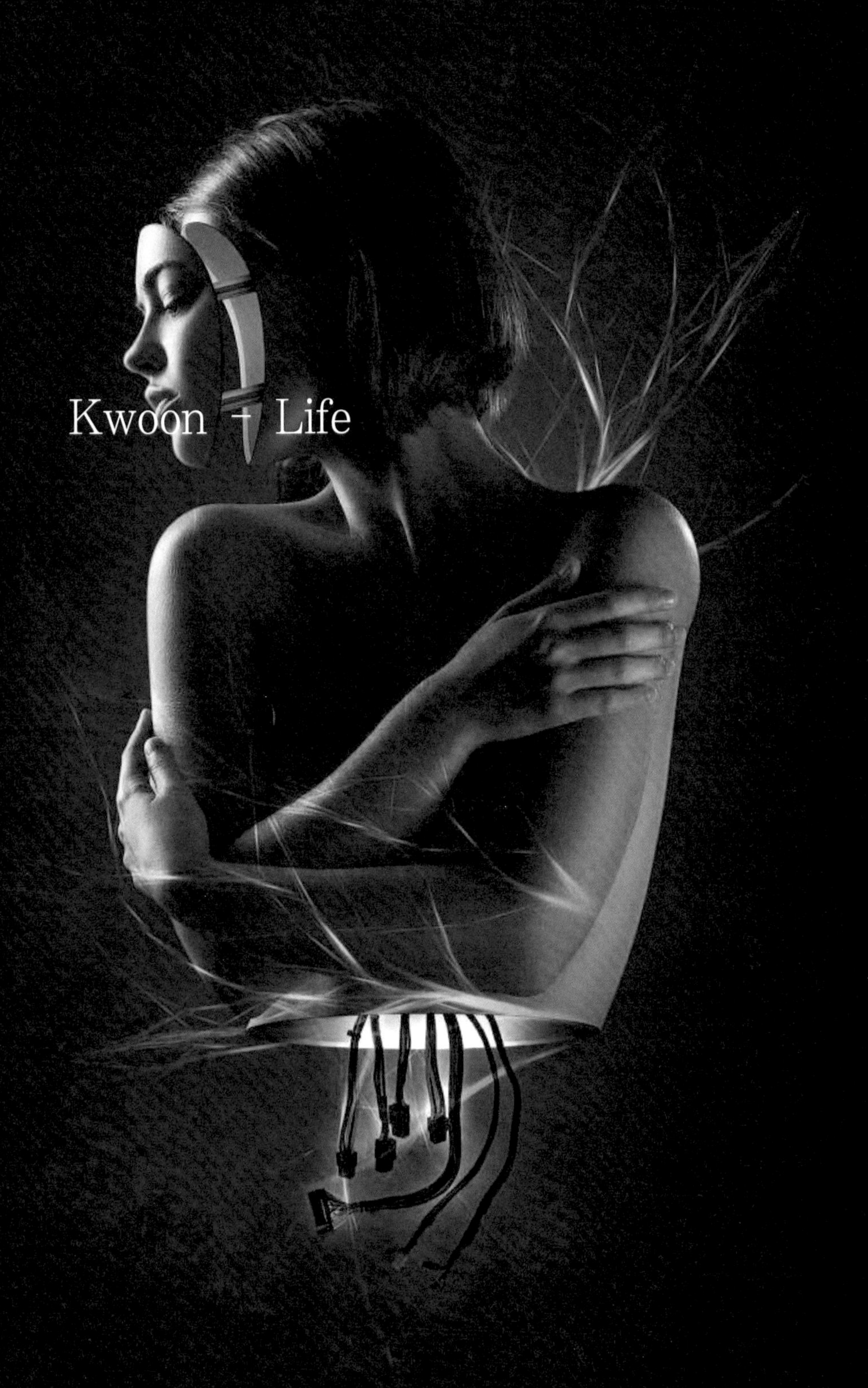
Kwoon - Life

제임스는 들뜬 마음을 누른 채, 플라잉택시를 타고 <에로돌스> 고객센터로 향했다. 평소에는 대중교통을 이용했지만, 그는 오늘만큼은 약간의 사치를 부리고 싶었다.

일주일간의 제품 사용 교육과 적응 단계를 모두 마친 그는, 드디어 그의 여자를 오늘 만나게 되는 것이다.

제품명 : <핫세 프리미엄 에로 버전 13.44F>
원산지 : Made in America

이미 7년 전에 출시되어 2번의 주인을 거친 중고제품이었다. 하지만 정비센터에서 무상 초기화 및 업그레이드가 잘 진행되었고, 무료 <안마 서비스> 모듈 및 최신 유행 신음까지 보너스로 탑재한 상태였다. 그의 재정적 능력으로는 더할 나위 없이 안성맞춤인 셈이었다.

다만 한 가지 아쉬운 점은 <Made in America>라는 것이다. 가장 인기 있는, 최고 품질의 섹스 로봇은 한국산이었다. 하지만 대부분 제임스가 감당할 수 없는 고가 제품이었다. 심지어 중고제품도 여전히 높은 가격으로 팔렸다. 그나마 차선책으로 선택할 수 있는 것은 중국산이었다. 한국산 대비 가격은, 삼 분의 일 정도였지만 품질면에서는 일반인들이 구분하지 못할 정도였다. 다만 중국 내 노총각 수가 급증함에 따라, 내수 시장의 수요도 감당할 수 없었다. 결국 중국 정부는 원천적으로 자국의 로봇 수출을 엄격하게 제한하고 말았다.

아메리카 제품은 한 때 최상의 품질로 인기를 누렸으나, 보안의 취약성이 드러나면서 급락하고 말았다. 즉, 수많은 제품이 불법 개조 및 복제가 되어 전 세계로 팔렸으며, 여러 가지 사건 사고가 발생하였다. 예를 들자면, 섹스 도중 주인의 성기를 입으로 절단하는 사고도 있었다.

하지만 제임스는 전혀 개의치 않았다. 거의 40년 세월을 고독한 싱글로 보낸 그로서는, 여인의 품속이라면 죽어도 좋다고 생각했다.

그는 후들거리는 다리를 겨우 옮기며, 안내에 따라 지정된 69번 만남 방으로 들어갔다. 이곳에서 2시간의 첫 만남을 보내고 나서, 최종 구매 계약서에 사인하고 나면, 그녀는 완전히 그의 것이 되는 것이다.

방은 작지만, 침대는 넓었다. 약간 어두운 붉은 조명 속에 로맨틱한 재즈 음악이 흘렀다. 그는 약간 엉거주춤한 상태로 선 채 여자를 기다렸다. 그의 심장이 터질 듯이 요동쳤다. 일 초 일 초가 영원히 멈추듯이 천천히 흘렀다. 동시에 그의 속이 바짝바짝 타들어 갔다.

그는 탁자에 놓인 음료수를 병째로 벌컥벌컥 마셨다. 그가 병을 비우는 사이 그녀가 들어왔다. 진한 재스민 향이 좁은 공간을 금세 가득 채웠다. 그녀는 반투명의 실크 란제리 차림이었다. 그녀는 망설임 없이 그에게 사뿐 사뿐히 다가와 익숙한 듯이 그에게 안겼다. 그리고 그가 말할 틈도 없이 그녀는 그의 입술에 자기 입술을 포개었다. 그녀는 탁월한 섹스 기계였다.

남자의 옷을 한풀 한풀 벗긴 뒤, 자연스러운 자세로 그를 침대에 눕혔다. 그리고는 자신이 왜 좋은 제품인지를 마치 홍보라도 하듯이 아주 부드러운 손끝으로 그의 전신을 안마하기 시작했다. 그의 눈이 스르르 자동으로 감겼다.

제임스의 입에서는 삶의 희열이 터져 나왔다. 그의 모든 세포 하나 하나가 기쁨을 노래했다. 지나간 모든 고통과 외로움이 한꺼번에 보상받는 느낌이었다. 그는 비로소 세상의 한 가운데, 주인공으로 우뚝 선, 자존감을 한껏 내뿜는 수컷 사자로 돌아왔다.

그는 이제, 그녀를 쓰러뜨리고 자기 성기를 그녀의 몸속으로 깊숙이 집어넣고 싶다는 강렬한 욕구를 느꼈다. 그런데 그 순간, 묵직한 압박감이 팔에서 느껴졌다. 그는 눈을 번쩍 떴다. 그리고 여자의 손에 쥐어진 주사기를 보았다. 그녀는 익숙한 듯 자신의 왼쪽 유방을 열어 투명 유리병 속에 담긴 액체를 주사기에 담고 있었다.

순간, 제임스의 입에서 욕지거리가 튀어나왔다.

"젠장!!!, made in America!!!"

그의 여자는 마약 로봇으로 개조된 복사품이었다.

남킹 판타지 소설집
하니은 매화
남킹 컬렉션 #015

남킹 컬렉션 #019
이방인
남킹 장편소설

Haley Reinhart - Lovesick

1cm 안에는 약 1억 개의 수소 원자를 일렬로 쭉 늘어놓을 수 있다. 수소 원자의 중앙에는 원자 크기의 1만분의 1에 불과한 핵이 있다. 그리고 이 핵보다 10억분의 1이나 작은 어떤 점이 있다. 지금으로부터 약 137억 년 전 갓 태어난 우주의 크기였다. 여기에서 수천억 개의 은하가 탄생했다. 그 은하 중 하나의 변방에 태양계가 있다. 그 태양을 도는 작고 푸른 행성이 지구다. 우리는 대부분 지구에 살고 있다. 아마겟돈 이전이든 이후든….

아니룻이 매번 화성의 유인기지, 라스둠 시티를 방문할 때마다 느끼는 점은 무척 빠르게 변하고 있다는 것이다. 중앙에서 미로처럼 뻗어나가는 길을 따라 걷다 보면 그녀가 기억하지 못하는 새로운 도로와 마주치곤 하는데, 그 끝에는 대부분 기계 로봇인 하드롯의 건설 현장이 펼쳐져 있다. 아니룻은 무척 많은 시간을 기웃거리며 이곳저곳을 돌아다녔다. 그리고 그녀는 3D 네비게이션의 도움 없이도 거의 모든 도로와 건물, 인공호수와 공원들을 외우고 다녔다. 이러한 특성은 태생적 환경에서 기인한 바가 크다고 봐야 할 것이다.

그녀는 생후 6개월부터 고아로 자랐으며 여러 군데의 탁아소, 위탁 가정을 옮겨 다니며 성장했다. 그녀는 아무리 울어도 누군가가 그녀의 입에 젖병을 물려주지 않는다는 사실을 진작에 깨달았으며, 나 스스로 경쟁에서 이기지 않으면 아무도 자신을 도와줄 사람이 없다는 현실도 무척 어린 나이에 받아들여야만 하였다. 그녀는 고통을 감내하는 것에 익숙했고 집착에 가까운 인내심을 키웠으며 위험한 것에 대한 내구성을 축적했다.

그녀의 첫 직장은 중소 도시의 중견 신문사였다. 그 신문은 주로 시사와 경제, 사회에 관한 기사를 다루었는데, 그녀는 입사한 지 육 개월도 지나지 않아 종군기자를 자처했다. 아마겟돈이 있기 20년 전, 2046년 봄이었다. 대규모 전쟁의 암울한 기운이 전 유럽과 아시아,

북미 대륙을 집어삼키고 있던 시기였다.

그 시작은 2020년대부터 실질적으로 시작된 중국과 미국의 패권 싸움이었다. 서로 간의 무역전쟁, 보복 관세 등이 이어지고, 국지적인 다툼이 세계 곳곳에 걸쳐서 일어났다. 주로 힘없고 가난한 동유럽, 아프리카, 중남미, 동남아 지역이었다. 대리전쟁이나 마찬가지였다.

2030년대부터는 EU와 러시아가 본격적으로 개입하기 시작하면서, 전쟁의 수위와 규모가 엄청나게 커졌다. 제삼 세계는 이제 어느 편에 서든지 크고 작은 전쟁에 휘말릴 수밖에 없는 처지가 되었다.

2040년이 되자 세계는 이제 2개의 큰 세력으로 편 갈이가 되었다. 중국, 러시아, 인도가 손을 잡은 아러 연합(AR Union)과 유럽, 아메리카 대륙이 연합한 유아 연합(EA Union)이었다.

하지만 그런데도 인구는 기하급수적으로 늘어나기만 하였다. 2050년이 되자 200억이 되었다. 더불어 자원 고갈은 절정에 달했다.

지구는 45억 년 동안 숱한 변화를 겪었다. 기후 변화, 지각 활동, 운석 충돌 등 다양한 원인이 지구를 얼음별 혹은 우림으로 바꾸어 놓았다. 그리고 환경이 바뀔 때마다 지구를 지배하는 생물도 바뀌었다. 2051년 10월 인간은 현 지질시대를, 30년 전에 국제지질학 연합이 주장한 인류세(人類世, Anthropocene)를 공식적으로 받아들였다. 지금의 변화가 1만 200년 전 마지막 빙하기가 끝난 직후의 변화보다 크다는 것을 인정한 것이다. 이로써 홀로세(Holocene)가 공식적으로 끝난 것이다.

이러한 선언의 이면에는 핵이 있었다. 비극의 실마리는 핵폭탄 개발이었다. 인간 자신을 스스로 파멸로 인도할 이 무기는 이후 모든 나라가 탐하는 최고 가치의 물건이 되었다. 인간이 땅끝까지 지배하는 세상은 그야말로 야생이었다. 힘 있는 자가 모든 것을 지배하는 것이다. 그 무한한 지배욕을 성취하기 위한 대량 파괴 무기는 이제 지구를 수십 번 산산조각 내고도 남을 정도로 커졌다.

아니룻은 동유럽과 중국, 멕시코와 미국, 중동과 인도를 누비고 다녔다. 전 세계 어느 곳이든 전쟁이 발생한 지역이면 찾아다니기 시작했다. 그리고 그녀는 다른 이들을 압도하는 놀라운 능력을 지니고 있었다. 바로 인간 내비게이션이라는 별명이 붙을 정도의 놀라운 지리에 대한 암기력이었다.

그녀는 한번 찾아간 지역은 모두 그녀의 머릿속에 집어넣었다. 그것은 종군기자로서 맹활약을 할 수 있는 최고의 장점이었다. 길을 잃지 않는다는 것은 곧 살 가능성을 극단적으로 높여 주었다. 그리고 그녀는 거의 병적인 수준의 집착력을 보였다. 그녀는 왜 인간이 폭력적인가 하는 근본적인 질문에 온통 휩싸인 채, 총알이 하늘을 뒤덮은 대지를 종일 뛰어다녔다.

곧 그녀의 이름은 유명세를 치렀다. 그녀는 미국 최대 유튜브 방송국 기자가 되었고 세상의 모든 전쟁을 배경으로, 그녀는 아름다운 금발을 두꺼운 방탄모에 숨긴 채 숨 막히는 톤으로, 인간의 비극을 묘사하기 시작했다. 2065년 그녀는 퓰리처상을 수상했다. 그녀의 동영상은 30억 뷰에 육박했다. 그리고 그때쯤, 그녀에게 비극이 찾아왔다. 그녀는 사리엔의 전쟁 지역을 이동하던 중, 대인지뢰를 밟고 즉사했다.

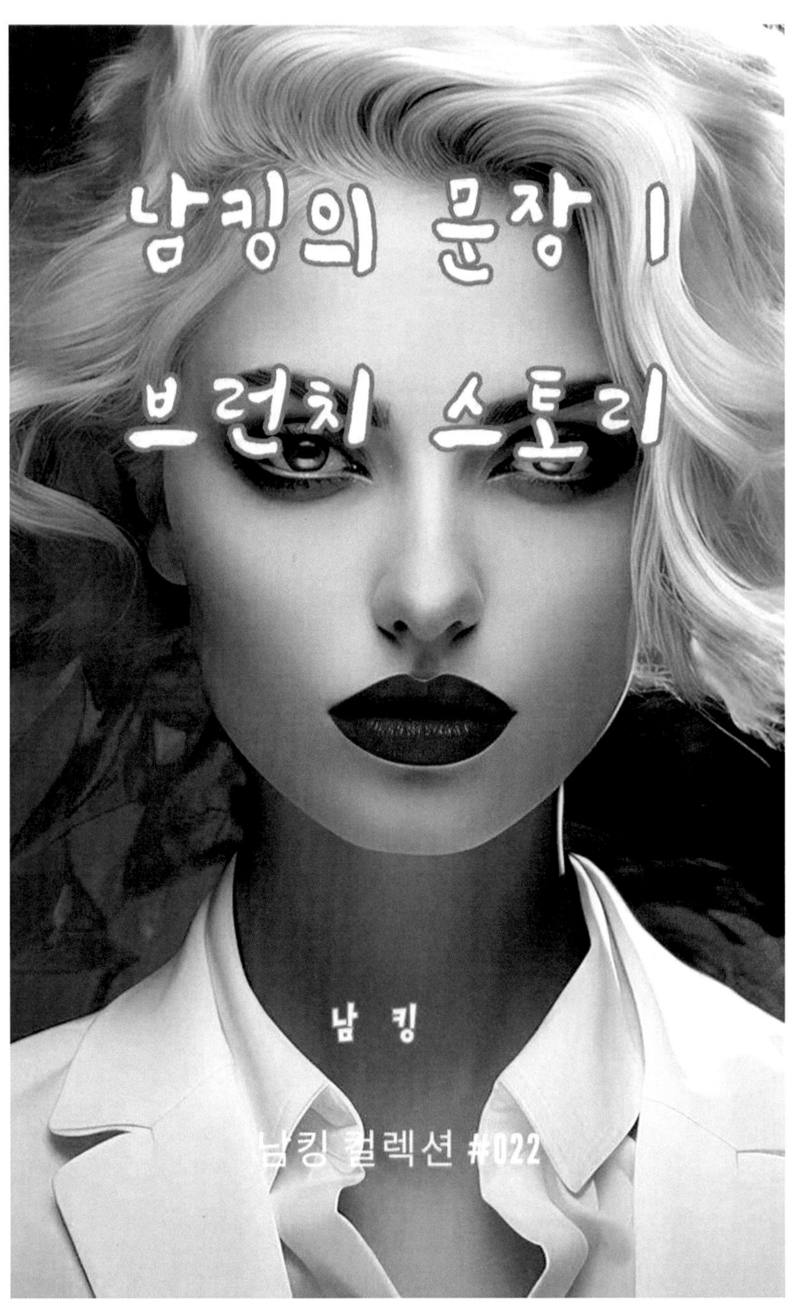
남킹의 문장 1
브런치 스토리
남 킹
남킹 컬렉션 #022

알리칸테는
언제나 맑음
남킹 에세이
남킹 컬렉션 #023

Small Change Girl

Asaf Avidan - Small Change Girl

https://www.youtube.com/embed/ZrVOcehCyCw

그녀가 다시 눈을 뜬 것은 뉴질랜드의 어느 외딴 섬이었다. 하지만 그녀가 다시 자신의 의지로 서게 된 것은 그로부터 몇 달 뒤였다. 그런데도 여전히 움직임을 제 뜻대로 하기에는 몇 주가 더 필요했다.

"새로운 육체에 적응하는 단계입니다." 가우타 생체 공학 연구소 선임 연구원인 란젠은 부드러운 미소를 지으며 그녀에게 말하였다.

"제가 어떤 상태였나요? 박사님."

"죽었죠." 박사는 살짝 윙크를 지으며 말을 이어갔다.
"목 이하는 모든 게 조각조각 난 상태였습니다. 즉 건질 게 하나도 없었죠."
"저를 왜 살리셨나요?" 그녀는 눈을 뜬 순간부터 줄곧 품어왔던 의문을 표시했다.
"그 부분은 저도 모릅니다. 이곳 연구소를 설립하신 가우타 님의 뜻이었습니다. 꼭 살려야 한다고 하셨습니다."

"그런데, 심장이 산산조각이 났는데 어떻게 살 수가 있는 거죠?"

"소위, 마인드 업로딩 기술이라는 것을 이용했습니다. 인포모프(Infomorph)라고 불리는 인공지능의 한 분야입니다. 뭐, 단순하게 설명하자면, 로봇의 신체에 인간의 정신을 옮기는 것이라고 보면 됩니다."
"그럼, 저는 로봇인가요?"
"굳이, 분류하자면 인조인간입니다."

"그분을 만나고 싶군요."

"곧 만나게 될 것입니다. 아 그리고 한가지 아셔야 할 것이 있습니다."
"네?"
"지금은 2069년입니다. 그리고 2066년에 아마겟돈이 있었습니다. 이곳 지하 연구소는 안전하지만, 바깥은 이제 그렇지 않습니다. 당신이 잠든 사이 벌어졌던 모든 불편한 진실을 당신은 지금부터 마주할 것입니다. 부디 절망하지 마시기를 바랍니다. 당신이 온전히 당신의 새로운 육체에 빨리 적응되기만을 가우타님은 바라고 있습니다. 그때가 되면 그분이 당신을 방문하실 것입니다. 그럼…."
가우타가 실제로 그녀를 방문한 것은 2070년 1월이었다. 그녀는 강한 여자였다. 태생부터 살아남기 위한 의지는 그녀가 재탄생한 이후의 삶에도 수그러들지 않았다. 그리고 무엇보다도 자신이 꼭 살아야 하는 이유를 알고 싶었다.

"저는 당신이 필요합니다." 가우타는 파란빛으로 반짝이는 그녀의 눈을 마주 보며 말을 했다.
"왜, 필요한가요?"
"당신은 누구보다도 전쟁을 잘 압니다. 그리고…" 그는 그녀의 인조 얼굴이 그녀가 죽기 직전의 모습을 거의 완벽하게 재현했다는 만족

감을 느꼈다. 그녀는 전형적인 게르만 혈통에 북방인종에 속했다.

"당신이 잠든 사이 벌어진 대멸종으로 이제 인류는 생존의 갈림길에 서 있습니다. 아마도 당신은 본능적으로 의문을 느끼고 있을 것입니다. 누가 이런 짓을 했는지…"
"누가 했나요?"

"아직 모릅니다. 그래서 당신이 필요합니다."
"왜 저인가요? 출중한 능력을 겸비한 이들이 많을 텐데요."
"능력만 비견하자면 다른 이를 선택할 수도 있었을 겁니다. 하지만…"
"하지만?"
"저는 오래전, 젊은 시절, 한 예언가의 일기를 물려받은 적이 있습니다. 그리고 여기 그 일기 중 한 부분을 보여드리겠습니다." 가우타는 그의 가방에서 낡은 공책을 하나 꺼내 표시한 부분을 펼쳐서 그녀에게 내보였다.
'...키가 크고 금발에 푸른 눈, 투명에 가까운 눈빛을 한 여자가 보입니다. 늘 가시투성이의 삶이지만 집착은 생명을 불어넣고 본능은 한 곳을 향해 나아갑니다. 그녀는 구원자의 귀와 눈이 되어 그가 디딜 곳의 평지를 선사합니다….'
"이게 저를 지칭한다는 말인가요? 금발에 푸른 눈동자는 수도 없이…" 가우타는 다시 몇 장을 넘기더니 표시한 대목을 그녀에게 다시 가리켰다.

'...여자는 죽음의 도시에서 태어나 삶의 세상을 만들 것입니다…'

"죽음의 도시?"
"네, 당신은 우크라이나 체르노빌에서 태어났습니다. 그곳을 우리는 죽음의 도시라고 합니다."
"하지만 죽음의 도시는 전 세계 곳곳에 존재하는 걸로 알고 있습니다만…"
"다음을 보시죠…" 그는 일기장 다음 페이지를 넘겼다.
'그 해의 시작은 하늘의 폭발이었다. C로 시작하는 하늘을 나는 것이 뿌연 먼지로 사라졌다. 그리고 그해에는 평화로운 도시가 아무도 살 수 없는 죽음의 도시로 변하였다.'
"모두 1986년의 일입니다. 그해 1월 챌린저 우주왕복선이 폭발하였고 4월에는 체르노빌 원자력 발전소가 폭발하였습니다."

"하지만 제가 체르노빌 출신이라는 사실은 저도 모르는 일입니다. 그걸 어떻게?"
"당신의 어머니는 당신을 버린 게 아니었습니다. 체르노빌에는 몰래 숨어 들어와 살던 주민들이 있었습니다. 2022년 당신이 태어난 직후 당국에 발각되어 강제로 위탁 시설에 보내진 것입니다. 물론 당신 이름도 위탁인이 즉석에서 지어낸 것이고요."

"하지만 어떻게 제가 모르는 사실까지 당신은?"

"저에게는 세상에서 가장 뛰어난 해커 조직인 <사피엔티아>를 두고 있습니다. 이것이 당신의 출생 서류 복사본입니다." 그는 모니터에 그녀의 출생 신고서를 띄웠다.

'체르노빌 출생. 강제 이주. 이름 : 빅토리아 단테스
위탁인 : 에르난데스 단테스'

"하지만 단지 예언가의 말을?"

"네, 그렇죠. 그냥 자신이 본 환영을 적어놓은 일기장에 불과합니다. 실제로 해석이 되지 않는 애매모호한 부분도 많고 틀린 부분도 있습니다. 저는 과학자이자 사업가입니다. 불확실한 것에는 늘 의심하고 투자를 망설이고는 합니다. 그래서 이 모든 것을 준비하면서도 늘 마음 한구석에는 회의감에서 오는 불안을 지니고 있었습니다. 그리고 아마겟돈만큼은 정말이지 틀리기를 바랐습니다. 정말로 일어나지 않기를…"

"그럼?"

"네, 그는 비교적 자세하게 <종말의 일주일>을 적어 놓았더군요."

한동안 두 사람은 말없이 앉아 있었다.

"예언은 언제까지 기록되어 있나요?"

"2099년 9월 9일입니다."

"뭐라고 적혀 있나요?"

"붓다의 유언이 적혀 있습니다."

'그만하여라, 아난다여

슬퍼하지 말라, 탄식하지 말라

사랑스럽고 마음에 드는 모든 것과는

헤어지기 마련이고 없어지고 달라지기 마련이라고

그처럼 말하지 않았던가.'

"그리고 예언서에 당신은 <아니룻>으로 기록되어 있습니다."

블루 드래곤
744
넘킹 시나리오
넘킹 컬렉션 #006

리셋
Reset
남킹 SF 소설집
남킹 컬렉션 #010

Hania Rani - Eden

> 사람들의 행동을 유심히 관찰해 보라. 그들의 미래, 불행과 행복을 예측해 볼 수 있을 것이다. -노자

늦가을 더위가 한창 기승을 부리던 어느 날, 니콜라스는 군에 징집되었다. 그의 나이 스물이었고 막 결혼한 때였다.
그는 가난한 농사꾼이었고 고향을 떠나 본 적이 없었다. 학교에 다녀 본 적도 없으며, 당연히 글을 읽고 쓸 줄도 몰랐다.
그의 관심은 오로지 하늘과 땅, 가족과 가축, 옥수수와 밀이었다.

그 해는 무척 가물었다.

사실, 해가 갈수록 강수량이 줄어들고 있었다. 농작물은 고사하고 가축뿐만 아니라 심지어 사람이 마실 물도 부족했다. 자연히 농촌을 등지는 주민이 늘어났다.

게다가 멀지 않은 곳에 대규모 다이아몬드 광산이 발견되어 이주민들을 불러 모으기 시작했다. 마을 청년 대부분이 그곳으로 떠났다.

하지만 니콜라스는 고향에 머물렀다.

그리고 조용히 때를 기다렸다.

그는 어느 날, 아내에게 이런 말을 하였다.

“머지않아 탐욕이 부른 전쟁이 나서 자신이 끌려가게 될 거 같아….

그리고 전쟁이 끝나면 우리는 아주 아주 먼 곳으로 가게 될 거야….

사람이 거의 살지 않는 곳으로 말이야….”

그녀는 그의 말을 귀담아듣지 않았다.

왜냐하면 그는 종종 그녀에게 꿈 이야기를 하였다. 그리고 그 내용은 대부분 먼 미래나 과거에 관한 거였다.

그의 신상에 관한 이야기는 이번이 처음이었다. 그리고 그녀는 자기 남편이 단지 상상력이 풍부한 사람이라고만 여겼다.

그런데, 얼마 뒤, 그의 말대로 다이아몬드 광산 이권을 둘러싼 두 민족 간의 충돌이 발생했다.

그는 보병으로 참전하였다. 광산이 내려다보이는 힐마리아 언덕에는 여러 개의 진지가 구축되었다. 각 진지는 참호로 연결되어 있었다.

그는 그곳에서 군사 물자를 나르는 일을 하였다.

전투는 치열했다.

밤낮으로 포격과 총격전이 이루어졌다. 매일 수많은 군인이 전사하였다. 하지만 좀처럼 한쪽으로 전세가 기울지 않았다.
팽팽한 상태가 한 달 동안 지속되었다.
그러던 어느 날, 니콜라스는 그의 동료에게 꿈 이야기를 하였다.

"내일이면 적들이 소리소문없이 사라질 것 같은데…하지만 그게 더 무서운 일이지…."
이 말을 전해 들은 동지들은 하나같이 실소를 금할 수 없었다. 왜냐하면 매일 밤 그들은 사방에서 올라오는 적들과 치열한 전투를 하였기 때문이었다.
하지만 그의 예언은 정확했다.
이튿날부터 주변에 산재했던 수많은 적들이 자취를 감춘 거였다.

이게 바로, 니콜라스의 명성이 알려진 첫 번째 사건이었다.
그는, 적들이 그다지 효과가 없는 포위 격멸이나 거점점령 식 작전을 포기하고 게릴라전으로 바꾸었다는 사실을 미리 알아챈 것이다.
이 얘기는 곧바로 대대장 귀에 들어갔다.
그는 반신반의하면서도 니콜라스를 일단 곁에 두고 좀 더 지켜보기로 하였다.
이후 니콜라스는 여러 작전회의에 참석하여 그의 예언을 말하였고, 이는 곧바로 사실로 드러났다. 덕분에 그의 군은 차츰차츰 승기를 잡아 나갔다.
그리고 마침내 그의 말대로, 적이 휴전 제안을 해 왔다.
이 기쁘고 놀라운 소식은 나라 전역에 삽시간에 퍼졌다. 하지만 사람들을 더욱 놀라게 한 것은 니콜라스의 예언 능력이었다.
그는 군이 하사한 최고 훈장과 좋은 보직 제안도 마다하고 고향으로 돌아갔다. 하지만 그를 보려는 사람들이 매일 구름처럼 몰려왔다.

니콜라스 가족은 결국 고향을 등질 수밖에 없었다.
이후, 그에 관한 소식은 어디에서도 들리지 않았다.
누군가 가우타를 찾아오기 전까지는 말이다.

남킹 판타지 소설집
하니은 매화
남킹 컬렉션 #015

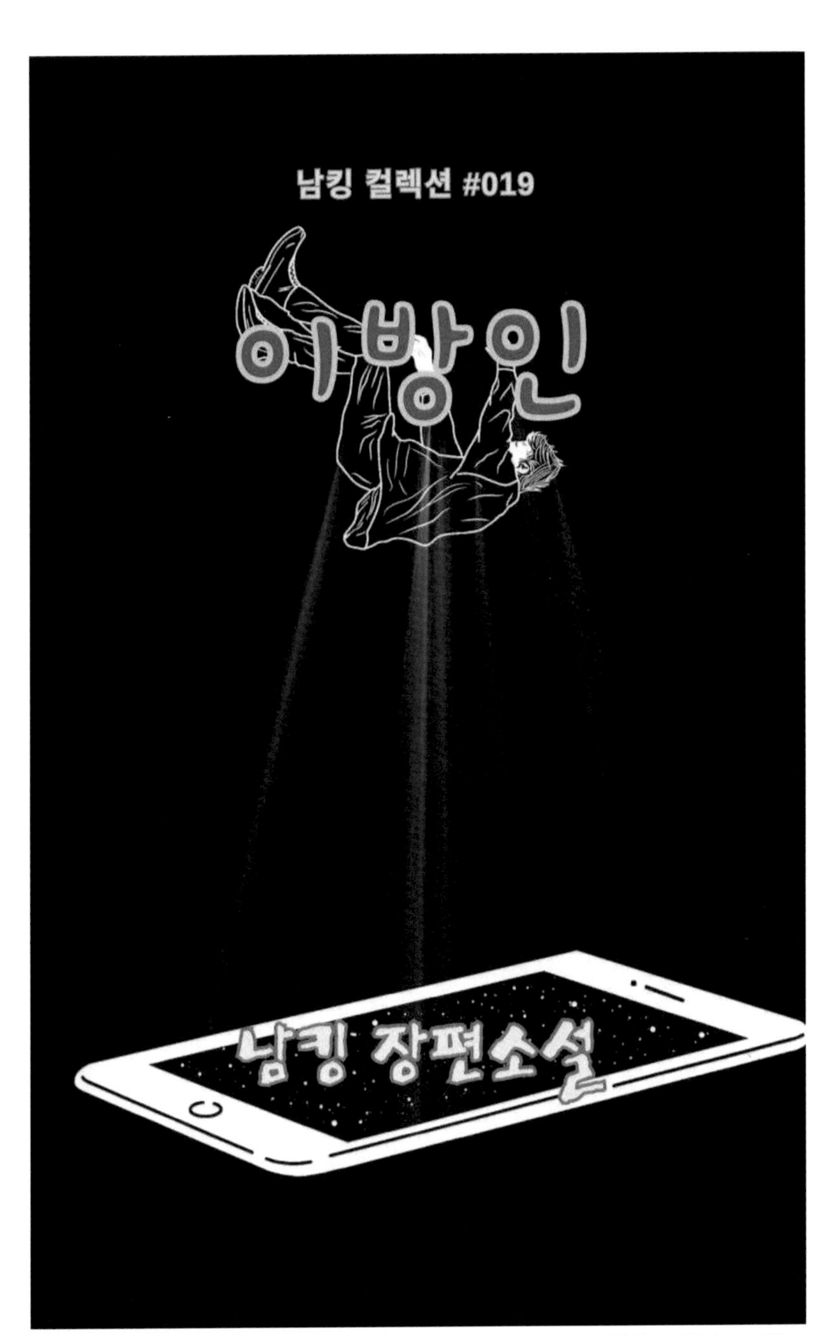
남킹 컬렉션 #019
이방인
남킹 장편소설

눈물이 당신의 볼을 타고 1

바람은 높은 나무 끝에서 살랑거렸습니다.
아직 쌀쌀한 아침.
안개비.

저는 곁가지 오솔길로 굳은 발을 뗐습니다.
구부정한 소나무 사이로
흐린 그림자가 서글프게 뒷걸음칩니다.

당신을 찾아 헤맨 혼란이 점점 또렷이
눈앞에 파고를 만듭니다.

살짝 주름진 입가의 미소로
고개를 돌리지만
결국 다갈색 뺨에 난 두 줄기 자국.

당신은 내게
차가우면서도 따스하고
까끌까끌하면서도 부드러웠습니다.

붉은 그리움이 자꾸 눈을 물들입니다.

서글픈
나의 사랑
남킹 장편소설
남킹 컬렉션 #025

길에 내리는
빗물
남킹 소설집
남킹 컬렉션 #024

눈물이 당신의 볼을 타고 2

구름이 머문
낮은 속삭임의 하늘.

당신의 이마를 덮은
수국처럼 빨갛게 핀 여드름
눈은 어느새 축축한 자국이 말랐습니다.

나의 고백은 지나치게 소심하였습니다.
아픔의 기슭 사이를
허우적거리는 영혼.

모든 사랑은 아무래도 너무 짧습니다.
긴 그리움은
매번 비로 내립니다.

저는 그냥
갈색 가을을 받아들입니다.

알리칸테는
언제나 맑음
남킹 에세이
남킹 컬렉션 #023

남킹의 문장 1
브런치 스토리
남 킹
남킹 컬렉션 #022

눈물이 당신의 볼을 타고 3

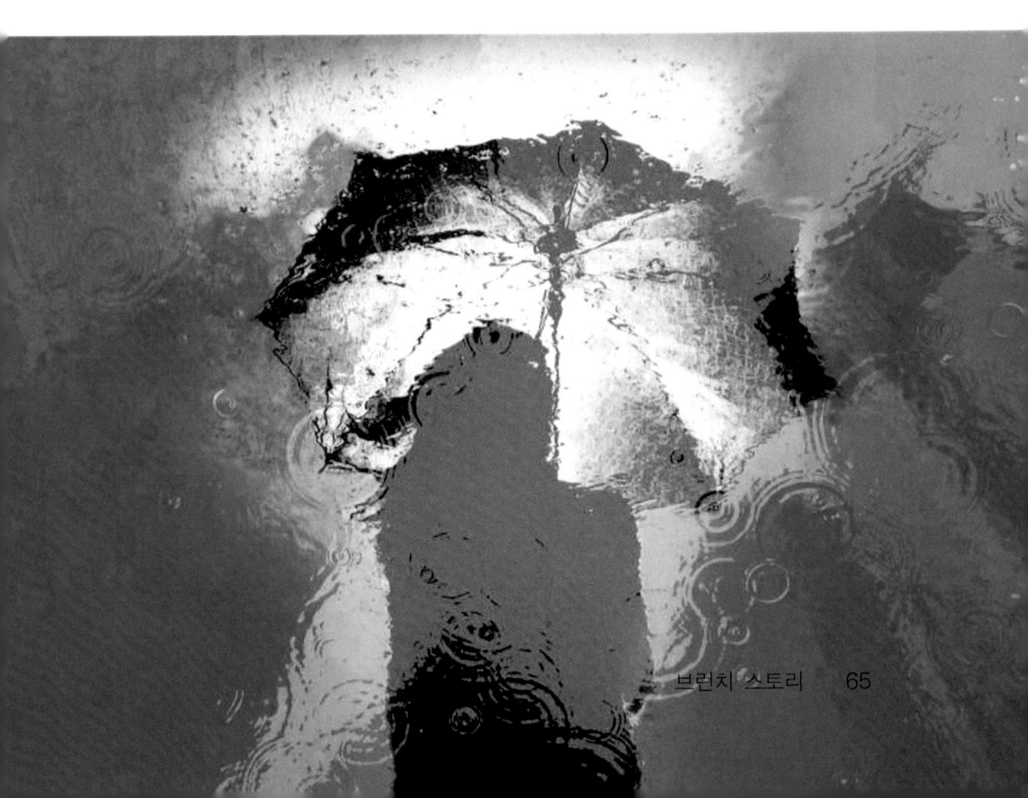

우산을 펼쳐 듭니다.

머리 위에서 톡톡 하는 소리가 정겹습니다.

마치 무언가가 고요함에서 튕겨 나오는 듯합니다.

투명한 바람이 이어졌다 사라집니다.

성긴 천으로 된 옷이 펄럭이면

당신은 안경 너머

긴 눈썹을 끔뻑이며 나를 지긋이 쳐다보곤 하였습니다.

당신의 따스함을 애써 되새김질하려고

추억의 단편들을 흐린 도시에 그려봅니다.

저의 밋밋한 하루에 감초 같았던 당신.

눈에 뵈진 사랑은

푸르게 상처 난 좁은 거리 속으로

가뭇없이 사라지고 적막하기 그지없지만

미련하게 꾹 끌어안고

당신의 볼을 타고 하염없이 흘러내리는

벗물을 훔치려고만 애를 씁니다.

사랑 그 쓸쓸함
에 대하여
남킹 음악산문
남킹 컬렉션 #021

거리를
비워두세요
남킹 음악에세이
남킹 컬렉션 #020

눈물이 당신의 볼을 타고 4

다시 공항을 찾았습니다.

그날처럼, 빗방울이 창에 톡톡 부딪히며 빠르게 흘러내립니다.
마른 이파리 하나가 유리에 앙상하게 붙어있다 사라지고
물방울이 맺힌 창으로 서글픈 그리움이 반사됩니다.

검은 바탕에 짙은 황갈색의 얼굴.
굳게 다문 입술과 우수에 찬 표정.
후들거리는 마음으로
저는 옅은 미소를 담은 채 당신을 보냈습니다.

그러므로 회연의 아련함이 가득한 하루는
후회를 찬찬히 시작해도 됩니다.

저는 옷매무시를 다지고 거리로 나섭니다.
한 줄기 바람이 첨예하게 살 속을 찌릅니다.
세상에서 가장 외롭고 추레한 모습.

이마와 얼굴, 어깨에 쏟아지는 빗물은
차가웠지만 그냥 따스하다고 위로합니다.

그날처럼.

남킹 컬렉션 #019
이방인
남킹 장편소설

남킹 컬렉션 #017
스네이크 아일랜드
1권
죽고싶지만 복수는 하고 싶어
남킹 판타지 스릴러

눈물이 당신의 볼을 타고 5

눈꺼풀이 무거워도 닫지를 못합니다.
닫히면 시린 당신

행간마다 흘러내리는 빗물에도 어려있고
조춤조춤 머문 별빛에도 묻어있습니다.
당신이 새긴 아픔

유폐한 기억을 애써 묻으려 흙을 덮어보지만
한 줄기 빛이 없어도
새록새록 싹을 틔우고
거스러미처럼 까칠하게 살갗에 달라붙어
뭉툭한 모서리에 비벼도 보지만
가라지지 않는 끌림

목어 소리 맞춰 억지로 눈 돌려 흥얼거리기도 합니다.
하지만 웅크린 당신의 눈물만 쓸쓸하게
자몽 같은 노을빛 속으로 말라갑니다.

아득하게 또 듣게 됩니다.

그날 그 언어

남킹 판타지 소설집

하니은 매화

남킹 컬렉션 #015

남킹 컬렉션 #011

1월의 비

남킹 감성 소설집

눈물이 당신의 볼을 타고 6

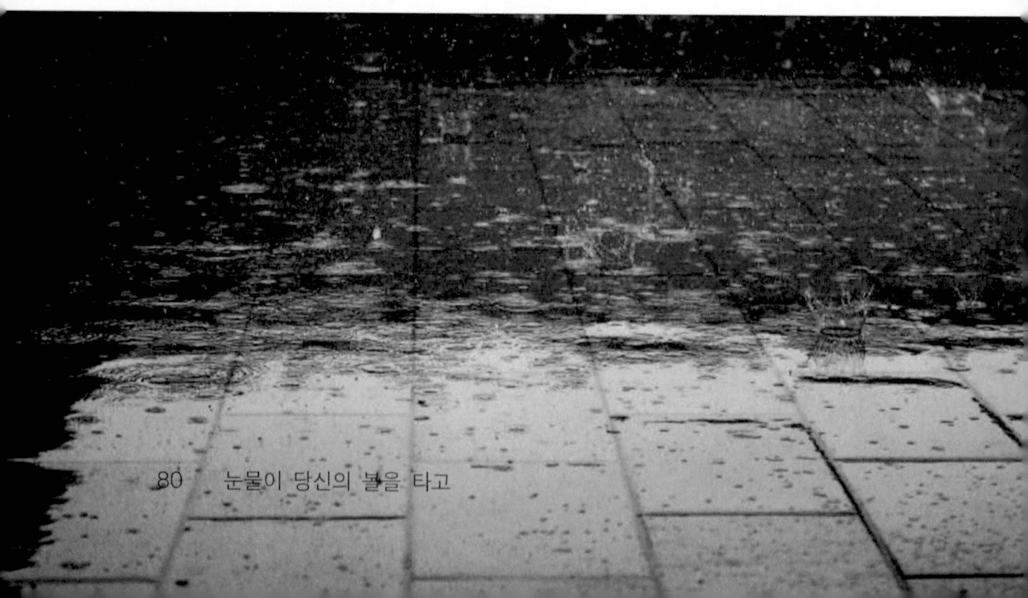

불연속적으로 비가 흩날립니다.
헐렁한 파란 바지는
부풂 해진 슬픈 물방울을
털려는 듯 버둥거리고

내딛는 걸음은
발치에 쌓이는 미련을
떨쳐내지 못합니다.

당신의 젖은 속눈썹
그러니 코끝이 시립니다.

떨어진 그리움은 바스락거리며
옆구리 어디쯤 쭈그리고 앉아
내 속의 당신에게 닿을락 말락

저는 아직 당신을
보낼 수 없습니다.
비는 아직 그칠 줄 모릅니다.

혓바닥이 버썩거립니다.

리셋
Reset
남킹 SF 소설집
남킹 컬렉션 #010

남킹 컬렉션 #004

남킹 SF 장편소설

눈물이 당신의 볼을 타고 7

하늘을 적신 물이
텅 빈 거리를 푸른 물무늬로 띄웁니다.

미세해진 바람은
당신의 순일한 마음
연하게 내 살갗에 와서
내 속의 핏기 없는 쇠잔한 그리움을
아늑한 노랑으로 물들이고

차갑게 굳어진 기억 사이 미세한 빗살로
가팔라지는 해거름이 서럽게 넘어오면
그러므로 하루만큼 더 멀어진 당신으로

나는 미욱하게도 보라색 설움에
바늘잎 나무숲에서 아슴푸레 떨어지는
막연한 눈물 속으로 웅크리거나
허우적거리는 비틀걸음으로
옹색한 문장을 읊조립니다.

하지만 내게, 다른 색은 없습니다.

더 깊어진 당신의 채도만 유효합니다.

남킹 컬렉션 #003
신의 땅
물의 꽃
남킹 판타지 SF
남킹 장편소설

거짓과 상상
혹은
죄와 벌
남킹 장편소설
남킹 컬렉션 #002

눈물이 당신의 볼을 타고 8

늘 그렇듯 따스함이 먼저 옵니다.
그러면 응결되었던 갈망이 해동하고요
코끝은 여전히 시리지만
내 시간의 큰 뭉치는 온전히
당신의 가슴 속 벚으로 물들어갑니다.

언제나 따스함을 따라 향긋함이 경화역에 도착합니다.
눈이 시리게 푸른 하늘 아래
내 앞에 흐드러지게 펼쳐진 당신의 착한 마음은
미세하고도 온전한 꽃잎의 떨림으로
속절없이 당신에게로 향한 끌림이 됩니다.

향긋함은 늘 가지를 가볍게 톡톡 흔듭니다.
벚으로 도취한 저는
눈처럼 흘리고 간 기억 자락을 주워듭니다.

옅은 분홍빛 살결
뜨거워지는 입김
황홀한 삶의 기쁨

시간은 멈추었고 세상은 조용히 숨죽입니다.
내가 그리워하는 당신의 모습은
단 하나의 느낌으로
공간을 부유하는 햇살 속의 꽃잎
내 안의 벚으로 간직합니다.

늘 그렇듯 내 안의 벚이 지면
어스름한 달빛과 가로수가 흐릿하게
철길을 내어주던 곳.

세찬 바람이 내 추억의 가지를
당신은 조각조각 아픔이 되어
후두두 떨어집니다.

고사리 같은 손을 창턱에 괴고는
끝없이 당신을 바라봅니다.

당신에게 저는 그저 속수무책입니다.

남킹 컬렉션 #001
그레고리 휼라디의
묘한 죽음
남킹 장편소설

버스 민폐녀
남킹 슬픈 이야기
남킹 컬렉션 #027
소설집

눈물이 당신의 볼을 타고 9

바람이 붑니다.

그리고 비가 내립니다.

내 속 텅 빈 풍경 속으로

당신이 젖습니다.

나만 혼자 품은 헛된 바램

행여 당신 맘 내릴까 봐

내가 어쩔 수 없는 걱정들

당신의 정류장에 머문 우산

창밖으로 흔적뿐인 바람이 붑니다.

당신, 근심은 날리고

이 맘만 소복이 담아

당신이 쉴 곳에 서성이는

바람으로 남겠습니다.

그리고 비로 내리겠습니다.

하늘이 글썽이던 눈물

아름다워서 슬프기 때문입니다.

남킹 SF
소설집
브런치 스토리
남킹 컬렉션 #026

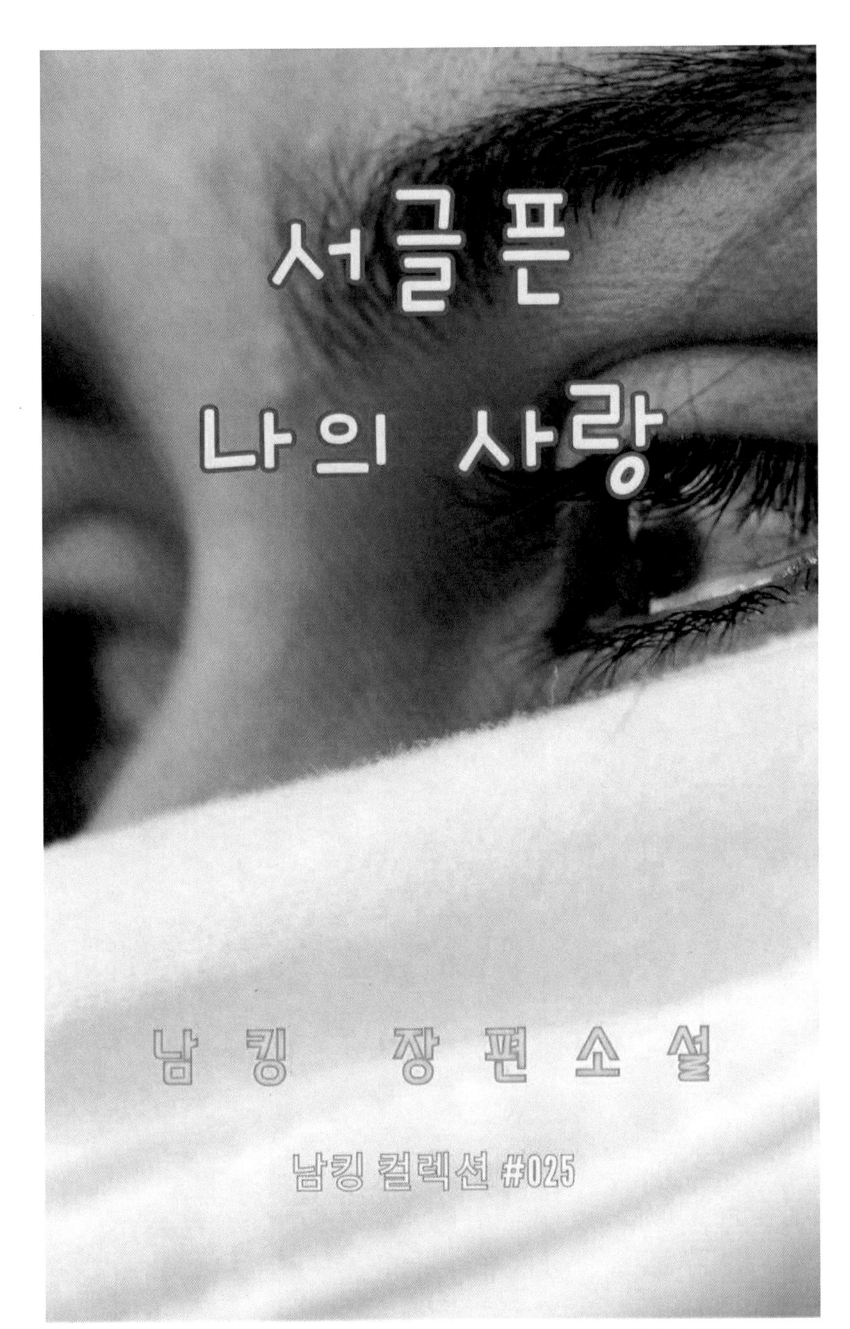
서글픈
나의 사랑
남킹 장편소설
남킹 컬렉션 #025

눈물이 당신의 볼을 타고 10

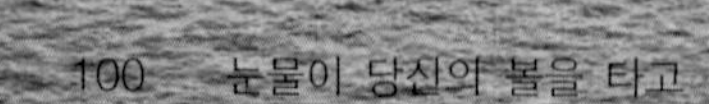

늘 그런 것은 아닙니다.

그냥
하루의 일이 끝나고
심통한 열차를 타고
낮고 쓸쓸한 집으로 가는 길

창은 비에 젖고
그 너머 강은 흐리게 물들고
덜컹거리는 심장 소리도 무심하게
이어폰은 슬픈 곡을 매달아
아프게 속삭입니다.
단 하나의 그리움만

그러면 늘 그런 것은 아니지만
그냥 다독거립니다.
울지 않겠다고

길에 내리는
빗물
남 킹 소 설 집
남킹 컬렉션 #024

알리칸테는
언제나 맑음
남 킹 에 세 이
남킹 컬렉션 #023

When You're Not Here

한줄시

늘 당신의 음악은...

https://www.youtube.com/embed/8aduOty5TCA

그리움으로 다가옵니다.

Kwoon - Bird

한줄시

늘 당신의 음악은...

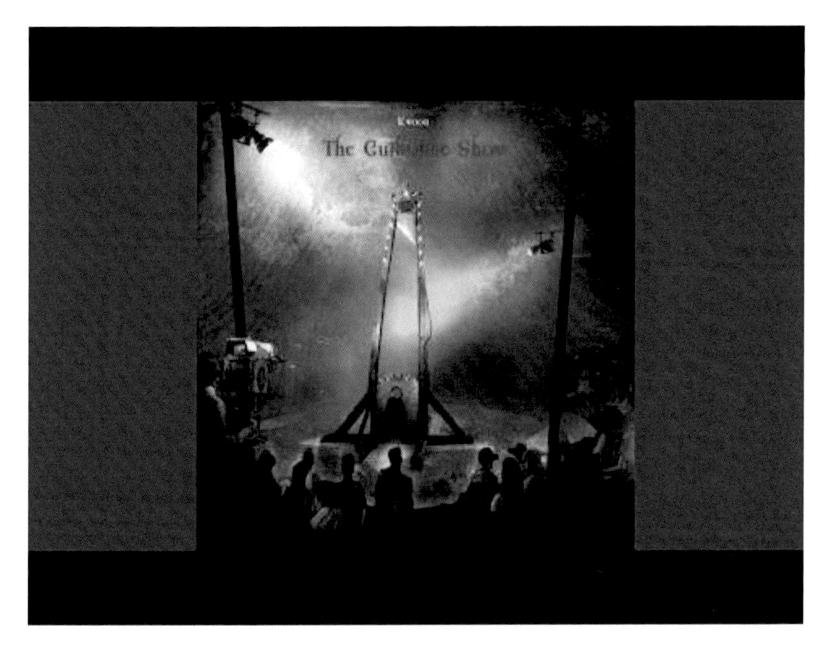

https://www.youtube.com/embed/sPDJdDSey_A

장려한 추락을 꿈꾸는 외톨이의 날개짓입니다.

브런치 스토리
남킹 사랑 소설집
남킹 컬렉션 #028

남킹 스토리

브런치 스토리

남킹 컬렉션 #029

Ghostly Kisses

한줄시

늘 당신의 음악은...

https://www.youtube.com/embed/wsc-XsSVqWY

저미는 가슴에 품은 당신에게로 이어진 감정입니다.

남킹 SF
소설집

브런치 스토리

남킹 컬렉션 #026

버스 민폐녀

남킹 슬픈 이야기

남킹 컬렉션 #027

On The Nature Of Daylight

한줄시

늘 당신의 음악은...

https://www.youtube.com/embed/b_YHE4Sx-08

생명으로 잠시 살다 간 고마움입니다.

길에 내리는
빗물
남 킹 소 설 집
남킹 컬렉션 #024

서글픈
나의 사랑
남킹 장편소설
남킹 컬렉션 #025

Aim To Head - Create

한줄시

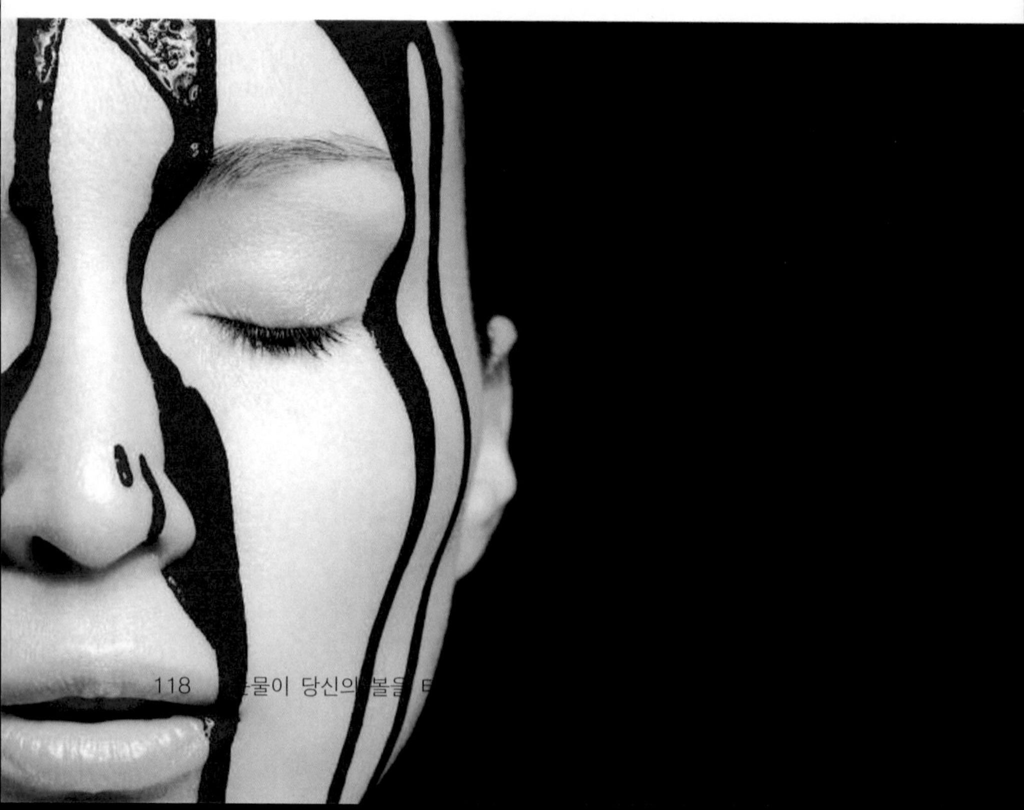

늘 당신의 음악은...

https://www.youtube.com/embed/5eDISOH8mEw

내밀하게 뿌리 내리는 절망의 다른 이름입니다.

남킹의 문장 I
브런치 스토리
남 킹
남킹 컬렉션 #022

알리칸테는
언제나 맑음
남킹 에세이
남킹 컬렉션 #023

Kwoon - Schizophrenic

한줄시

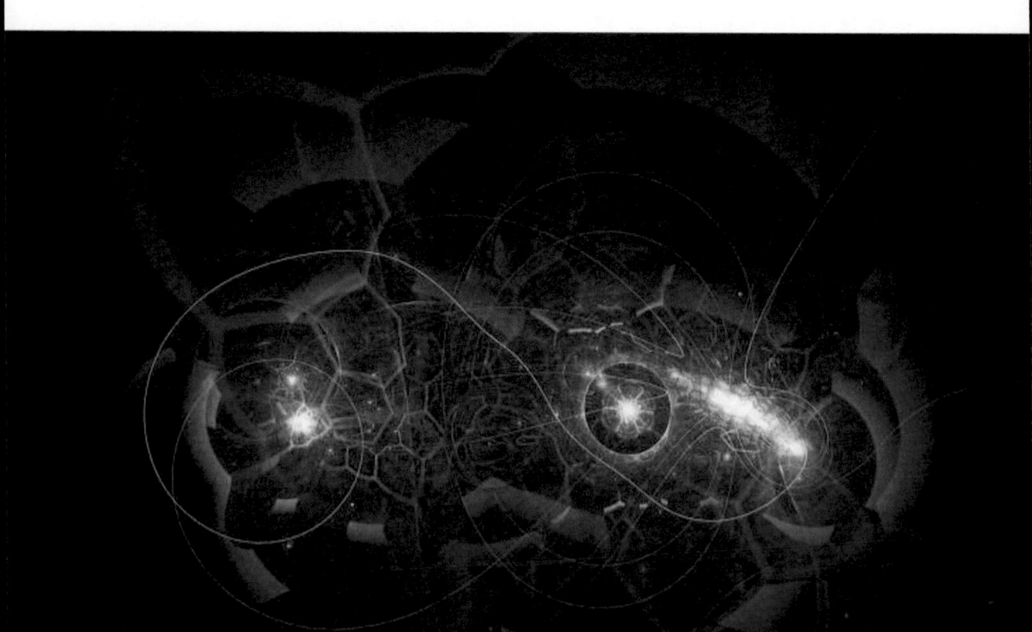

늘 당신의 음악은…

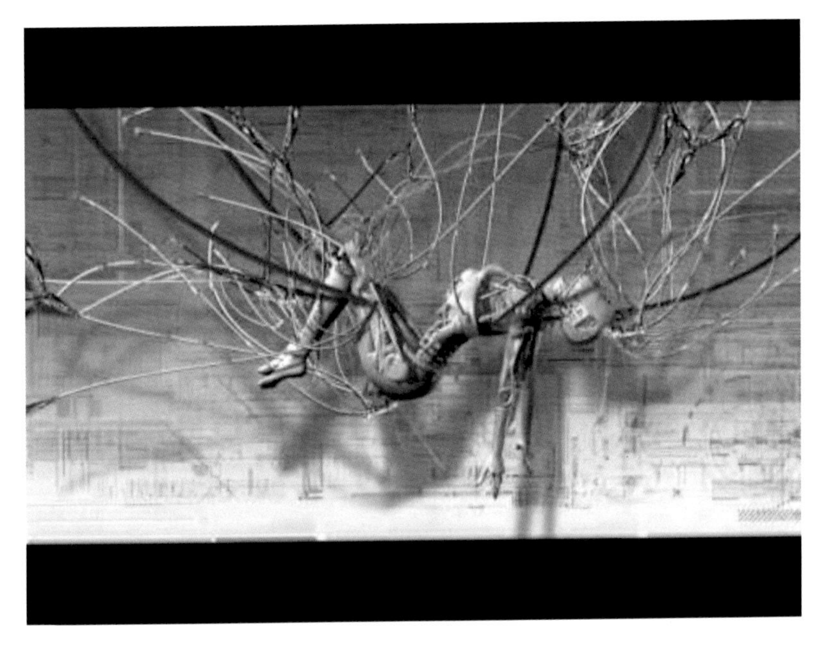

https://www.youtube.com/embed/1_mQHRUeH28

절망을 보듬은 슬픔입니다.

거리를
비워두세요
남킹 음악 에세이
남킹 컬렉션 #020

사랑 그 쓸쓸함
에 대하여
남킹 음악산문
남킹 컬렉션 #021

Kwoon - Ayron Norya

한줄시

늘 당신의 음악은…

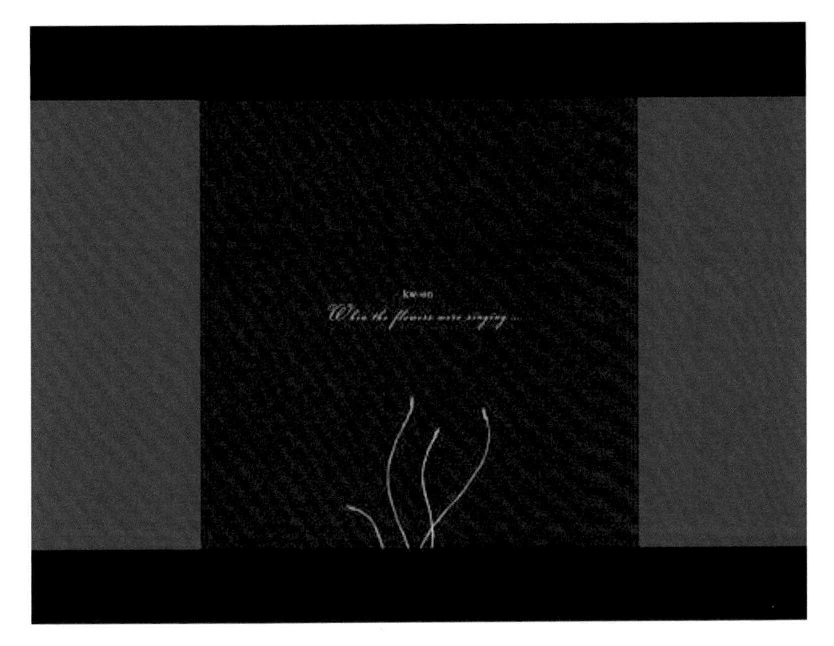

https://www.youtube.com/embed/ksKA0FTI5vs

잠든 고요의 아침을 속삭이는 한줄기 빛입니다.

남킹 컬렉션 #011
1월의 비
남킹 감성 소설집

남킹 컬렉션 #012

남킹의 문장 1

언어의 마법사 남킹의 문장들

Pachanga Boys - Time

한줄시

늘 당신의 음악은…

https://www.youtube.com/embed/eSqUIEgJtvk

눈부신 하늘, 경이의 자연을 쓰다듬는 당신의 따스한 감촉입니다.

신의 땅 물의 꽃
남킹 장편소설
남킹 컬렉션 #003

심해
남킹 장편소설
남킹 컬렉션 #004

In the Mood for Love

한줄시

늘 당신의 음악은…

https://www.youtube.com/embed/gw9fKuymA0I

낮은 하늘, 적막한 복도, 당신이 사라진 공간에 여운이 조용히 내려 앉습니다.

남킹 스토리
브런치 스토리
남킹 컬렉션 #029

남킹 컬렉션 #001
그레고리 흘라디의
묘한 죽음
남킹 장편소설

Across the Universe

한줄시

늘 당신의 음악은…

https://www.youtube.com/embed/CmlnO1EwCT4

솜털 보송한 스웨터의 따스한 감촉입니다.

사랑 그 쓸쓸함
에 대하여
남 킹 음 악 산 문
남킹 컬렉션 #021

남킹의 문장 1
브런치 스토리
남 킹
남킹 컬렉션 #022

I Lived on the Moon

한줄시

늘 당신의 음악은…

https://www.youtube.com/embed/ aUq4TgEQUQ

옛 추억이 버무려 낸, 수수한 순간에 떠오르는 쓸쓸함입니다.

리셋
Reset
남킹 SF 소설집
남킹 컬렉션 #010

Last Paradise

한줄시

늘 당신의 음악은…

https://www.youtube.com/embed/lvESkmU8O1Q

환등(幻燈)의 짙은 그림자에 놓인, 퀭한 눈과 무표정한 모습의 광시곡(狂詩曲)입니다.

남킹 스토리
브런치 스토리
남킹 컬렉션 #029

남킹 컬렉션 #001
그레고리 홀라디의
묘한 죽음
남킹 장편소설

Cold Green Waltz

한줄시

늘 당신의 음악은…

https://www.youtube.com/embed/IsGA_dveP3E

하늘과 맞닿은, 초록의 눈부신 잎들 천국입니다.

서글픈
나의 사랑
남 킹 장 편 소 설
남킹 컬렉션 #025

남킹 SF
소설집
브런치 스토리
남킹 컬렉션 #026

Luz Del Monte

한줄시

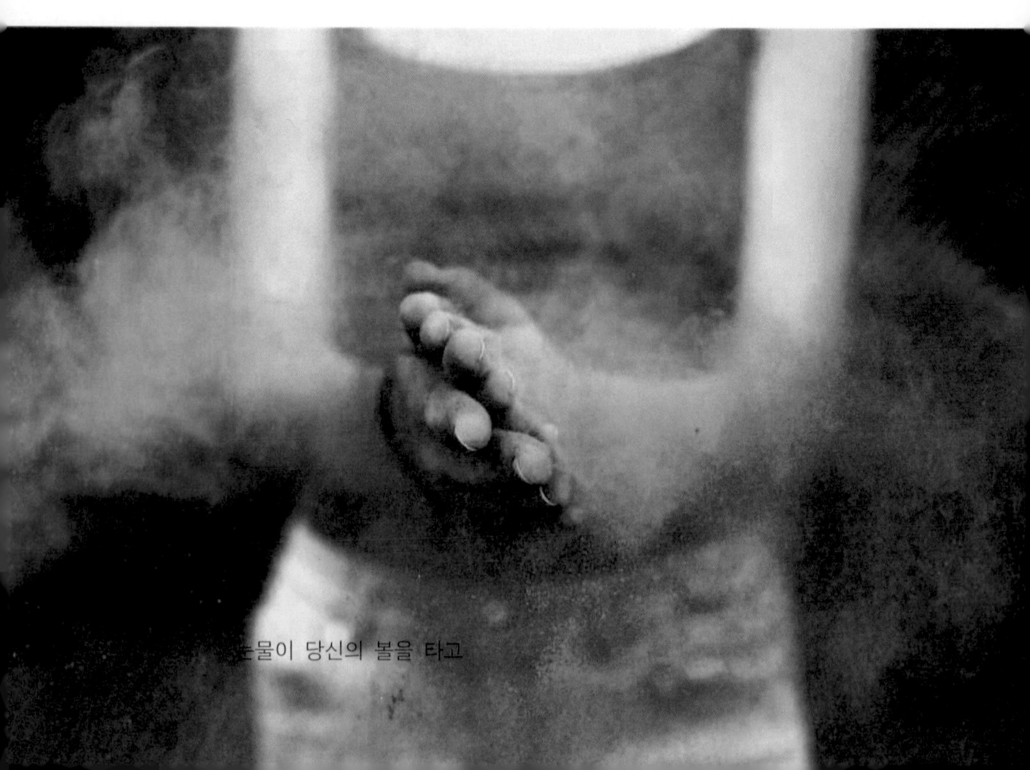

Oceanvs Orientalis - Luz Del Monte

https://www.youtube.com/embed/5KPpYzzpKVo

그대 그림자가 나를 가득 메운다.

NOVELIST

NAM KING

그레고리 홀라디의 묘한 죽음

남킹

남킹 컬렉션 #001

남킹 컬렉션 #002

거짓과 상상 혹은 죄와 벌

남킹 장편소설

신의 땅
물의 꽃
남킹 장편소설
남킹 컬렉션 #003

심해
DEEP
SEA
남킹 SF 장편소설
남킹 컬렉션 #004

남킹 컬렉션 #005
당신을 만나러
갑니다
남킹 사랑 이야기

블루 드래곤
744
남킹 대본집
남킹 컬렉션 #006

꿈은
이루어진다
남킹 소설집
남킹 컬렉션 #007

파벨 예언서
떠오르는 위협
남킹 장편소설
남킹 컬렉션 #008

떠날 결심
남킹 미니픽션
남킹 컬렉션 #009

리셋
Reset
남킹 SF 소설집
남킹 컬렉션 010

남킹 컬렉션 #011
1월의 비
남킹 감성 소설집

남킹 컬렉션 #012
남킹의 문장 1
언어의 마법사 남킹의 문장들

남킹 컬렉션 #013
남킹의 문장 2
언어의 마법사 남킹의 문장들

남킹의 문장
3
언어의 마법사 남킹의 문장들
남킹 컬렉션 #014

남킹 판타지 소설집
하니은 매화
남킹 컬렉션 #015

남킹 컬렉션 #16
남킹의 문장
4

남킹 컬렉션 #017
스네이크 아일랜드
1권
죽고싶지만 복수는 하고 싶어
남킹 판타지 스릴러

남킹 컬렉션 #018
천일의 여황제
세빈의 남자
남킹 판타지 소설

남킹 컬렉션 #019
이방인
남킹 장편소설

거리를
비워두세요
남킹 음악에세이
남킹 컬렉션 #020

사랑 그 쓸쓸함
에 대하여
남킹 음악산문
남킹 컬렉션 #021

남킹의 문장 1
브런치 스토리
남 킹
남킹 컬렉션 #022

알리칸테는
언제나 맑음
남 킹 에 세 이
남킹 컬렉션 #023

길에 내리는
빗물
남 킹 소 설 집
남킹 컬렉션 #024

서글픈
나의 사랑
남킹 장편소설
남킹 컬렉션 #025

남킹 SF
소설집
브 런 치 스 토 리
남킹 컬렉션 #026

버스 민폐녀
남킹 슬픈 이야기
남킹 컬렉션 #027
소설집

브런치 스토리
남킹 사랑 소설집
남킹 컬렉션 #028
LOVE
and
KINDNESS
are NEVER WASTED
They bless the one who receives them...

남킹 스토리
브런치 스토리
남킹 컬렉션 #029

남킹 스토리 2
브런치 스토리
남킹 컬렉션 #030

남킹의 음악과 글

브런치 스토리

남킹 컬렉션 #031

남킹 이야기
브런치 스토리
남킹 컬렉션 #032

Nam
King
Collection
#001 ~ #444

THE STORY
NOVELIST
NAM
KING
HAPPY DAY
MY DREAM
Nam
King
Collection
#001 ~ #444